Coéditon : CCC, Centre de Création contemporaine, Tours
FRAC Languedoc Roussillon, Montpellier
Consortium, Centre d'Art Contemporain, Dijon
Éditions JRP, Genève

XAVIER
VEILHAN

CONVERSATION

Lionel Bovier : Au sujet d'une œuvre telle que *La Garde Républicaine*, tu préfères parler de statuaire, plutôt que de sculpture. Pourquoi ce changement de définition et quels en sont les enjeux ?

Xavier Veilhan : Je pense que l'intérêt principal de la statuaire par rapport à la sculpture, c'est son aspect effectif. Je cherche à réhabiliter la dimension politique des œuvres, non dans le sens de l'art contestataire des années soixante, soixante-dix, mais à travers l'idée de commémoration, de légitimation impliquée par la statuaire. Il s'agit de recharger une forme que l'art institutionnel a prise dans l'histoire, par un contenu de nature différente, et de jouer sur la rupture qui peut exister par rapport à ce que l'on connaît de l'effet de ces œuvres. En faisant référence à la statuaire, on propose au public non spécialisé une forme qu'il reconnaît et à laquelle il est quotidiennement confronté. En France, il existe beaucoup de statues de personnages plus ou moins oubliés et, du monument au mort à l'œuvre de hall de banque, tous ces objets ont perdu leur caractère narratif et symbolique. Ils n'existent plus, d'une certaine façon, que sous la forme de noms d'avenues. Ainsi, dans un autre type de travaux, j'ai utilisé une forme de représentation stylisée, la silhouette, pour reproduire des monuments commémoratifs, indiquant par là leur identification avec de simples repères géographiques.

Christophe Cherix : La statuaire à dimension commémorative est caractérisée par une mise en scène

Lionel Bovier : To describe a work like La Garde Républicaine *(The Republican Guard), you prefer to use the term statuary as opposed to sculpture. Why is this, and what are the implications of this switch of definition?*

Xavier Veilhan : I think the most important distinction between statuary and sculpture is the obligation of statuary to be effective. I am trying to rehabilitate the political dimension of art works, not in the sense of the protest art of the 60's and 70's, but in terms of the idea of commemoration and legitimization implied by statuary. The intention is to revitalize a historical form that institutional art has taken by investing it with a modified content and to make use of the rupture that may result in terms of what is generally understood to be the impact of these works. By referring to statuary, one offers the general public a recognizable form that they are confronted with on a day-to-day basis. In France there are a great number of statues of individuals who have been more or less forgotten. From the war memorial to the work in a bank foyer, all these objects have lost their narrative and symbolic character. In a sense they now only exist in a manner akin to that of street names. Similarly, in another aspect of my work, I used silhouettes, a form of stylized representation, to reproduce commemorative monuments, thereby suggesting their identification with simple geographic landmarks.

Christophe Cherix : Statuary with a commemorative dimension is hall-marked by a specific staging device: the

particulière, où l'objet est placé sur un socle au centre d'une place. Or, dans ton travail, la statue est comme descendue de son piédestal.

XV : Plutôt que de descendre les œuvres du socle, j'essaie de placer les visiteurs sur un socle. Par exemple, pour une pièce comme *Le Gisant*, j'ai voulu, en posant l'œuvre à même le sol, inverser le rapport hiérarchique du spectateur à la statuaire. De même, *Le Voleur*, figé dans une attitude de soumission physique, joue, de façon plus perverse, de ce rapport.

CC : *Le Gisant* ne véhicule-t-il pas en outre une dimension dramatique, habituellement neutralisée par la statuaire ?

XV : Dans le cas précis de cette pièce, j'ai cherché à produire un effet d'ambiguïté, un doute sur la nature de la représentation. L'attitude que le personnage adopte, la définition moyenne de la réalisation, le fait aussi que les yeux ne soient pas peints, qu'ils ne soient ni ouverts ni fermés, et finalement l'absence de toute expressivité, laissent libre la lecture de l'œuvre, qui n'évoque pas plus le sommeil que la mort.

CC : Un gisant, au sens traditionnel du terme, est placé sur un tombeau qui a fonction de socle. En plaçant cette « statue » directement au sol, l'espace d'exposition devient support d'une représentation.

XV : Le lieu d'exposition soustrait en effet telle statue équestre de son environnement quotidien et place les visiteurs dans un espace fictif, l'espace même de la fiction. En se déplaçant sur un « socle abstrait », le spectateur devient objet de représentation, au même titre que les autres composantes de l'œuvre.

CC : Est-ce à dire qu'une exposition n'a pas prise sur le réel ?

XV : Il s'agit d'une fiction du même ordre que le travail de l'artiste. L'art est un sous-ensemble de la réalité. Par essence, la seule part de réalité compréhensible est celle qui est exprimable, reproductible, rejouable – donc apte à être simulée. L'artiste fabrique une réalité qui opère en satellite d'observation du réel – qu'il ne fabrique pas. Il est, par exemple, une illusion qui ressort périodiquement, affirmant que l'on pourrait projeter les propositions élaborées dans ce sous-ensemble sur l'extérieur, comme s'il existait entre eux un rapport d'échelle 1/1. Mon travail vise précisément à établir les limites de ce rapport, autant dans les projets à caractère public que privé. De là découle mon intérêt pour l'architecture et pour l'urbanisme.

LB : Pour revenir sur la question de la statuaire, Rosalind Krauss proposait de distinguer entre la

object is placed on a pedestal in the middle of a square. In your work, however, it seems that the statue has "stepped down" from its pedestal.

XV : Rather than taking the works down from their pedestal, I aim, inversely, to put the onlooker onto a pedestal. For example, in a piece like Le Gisant (Recumbent Effigy), *by placing the work directly on the floor I wanted to reverse the hierarchic relationship between viewer and statuary. Likewise* Le Voleur (The Thief), *frozen in a posture of physical submission, manipulates this relationship in an even more insidious manner.*

CC : The Recumbent Effigy *also conveys a dramatic dimension which statuary usually neutralizes.*

XV : *In this instance, I tried to create a sense of ambiguity, a doubt about the nature of the representation. The posture in which the figure is represented, the approximate finish, the fact that the eyes are not painted (they are neither open nor closed) and finally the absence of all expressiveness, all combine to leave the reading of the work quite open. It is no more suggestive of sleep than it is of death.*

CC : *A recumbent effigy, in the traditional sense of the term, is positioned horizontally on a tomb which then serves as a pedestal. By placing this "statue" directly on the floor, the exhibition space itself becomes the supporting surface of a representation.*

XV : *The exhibition space inevitably removes an equestrian statue, for example, from its everyday environment and places the spectator in a fictitious space – a space which is that of fiction by definition. As the onlooker moves about on an abstract pedestal, he himself becomes an object of representation, in the same capacity as the other components of the work.*

CC : *By that, do you mean that an exhibition has no possible anchor in the real world?*

XV : *What this implies is that the exhibition is a fiction of the same order as the work of the artist. Art is a subset of reality. In essence, the only part of reality that is understandable is that which can be expressed, reproduced, replayed – that which can be simulated. The artist invents a reality which functions like an observation satellite orbiting around the real – which he does not manufacture. There exists an illusion which re-emerges periodically, asserting that it may be possible to project the propositions formulated in this subset onto the outside world, as if a one-to-one ratio existed between them. Both in works which have a public dimension and those with a private destination, I aim precisely to*

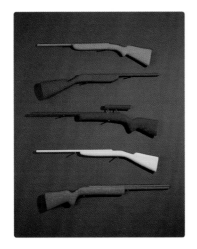

logique de la sculpture et celle du monument, selon le rapport que l'objet entretient avec le site. Or, il me semble que les deux aspects coexistent avec *La Garde Républicaine*. En effet, après la présentation du projet au CCC de Tours, tu as cherché différents points d'ancrage extérieurs qui renouent justement avec le discours du monument. Comme si l'œuvre faisait alors retour sur le réel.

XV : Dans un premier temps, l'œuvre était en effet présentée dans un contexte sculptural mais en tant que «statue». Dans un second temps, elle a pris place dans différents lieux publics qui lui étaient visuellement ou historiquement cohérents. Sa signification comme monument et les « effets de réels » qu'elle produit s'accentuent alors. Par rapport à un monument représentant l'image de l'État, on sent néanmoins dans le traitement de l'œuvre que s'inscrit un léger décalage. Ainsi, le sens du monument lui-même est partiellement vacant et cet espace peut être réinvesti par le spectateur. C'est pour cela que la pièce a été exposée dans des lieux très touristiques où rien ne venait signaler sa nature, ni signature ni arsenal muséographique. Je voulais qu'une appropriation devienne possible, que les touristes puissent se faire photographier devant l'œuvre.

LB : Le monument, sa fonction commémorative, l'apparat et ses corollaires politiques et symboliques : autant de questions soulevées par *La Garde Républicaine* et que posaient déjà les policiers de l'ARC. Avec la pièce du CCC de Tours, se boucle, disais-tu, un volet de ton travail.

XV : En fait, dans l'exposition de l'ARC, je voulais établir un lien entre le lieu d'exposition, le Musée d'Art Moderne de la Ville de Paris, et les services municipaux. À Tours, la représentation était davantage orientée vers l'apparat de l'État, une image en contradiction aujourd'hui avec les textes de base de la démocratie. Ce que j'ai traité dans les deux cas, c'est la façon dont ces questions apparaissent. Aujourd'hui, je m'intéresse toujours à cette problématique, mais hors des questions de représentation.

CC : Dans la pièce de l'ARC, pourrais-tu expliquer le rapport existant entre les statues des fonctionnaires municipaux et les photographies attachées aux réverbères ? Tu te représentais alors dans une figure particulièrement autoritaire, celle du policier.

XV : Ce qui m'intéresse, c'est d'apparaître à l'opposé d'une chaîne sociale, où il y aurait, d'un côté, la police faisant respecter un ordre communément admis et, de

establish the limits of this relationship. My interest in architecture and town planning stems from this.

LB *: To return to the question of statuary, Rosalind Krauss has proposed a distinction between the logic of a monument and that of a sculpture based on the relationship that the object entertains with the site. It seems to me however that both aspects co-exist in* The Republican Guard. *In fact, after the presentation of this work at the CCC in Tours, you sought to present the piece in various exterior sites which re-established the connection with the discourse of the monument. It was as if the work then reverted to the real.*

XV *: The piece was initially shown in a sculptural context, but as a "statue". It was then relocated in various public sites chosen for their visual or historic coherence with the work, thereby reinforcing its signification as a monument and the "effects of reality" that it produces. However, compared to a monument commemorating the image of the State, a slight discrepancy is introduced through of the treatment of the work. For this reason the signification of the monument itself is left partially open and this space can be reinvested by the onlooker. This was why the work was exhibited in a series of highly touristic venues where there was nothing to indicate the specific nature of the work: no signature and no museographic apparatus. I wanted to create a situation which would facilitate a possible appropriation of the work, where, for example, tourists would have themselves photographed in front of it.*

LB *: The Republican Guard raises questions about the concept of the monumental and its commemorative function, together with the notion of the ceremonial and its political and symbolic corollaries, issues which had been previously addressed by the city policemen of the installation shown at the ARC (Musée d'Art Moderne de la Ville de Paris). You have said that with the piece exhibited in Tours an aspect of your work comes full circle.*

XV *: In the ARC show I was interested in establishing a link between the exhibition venue – the Musée d'Art Moderne de la Ville de Paris – and the municipal infrastructure. In Tours the representation was directed more at the ceremonial aspects of the representation of the State, an image which contradicts the fundamental precepts of democracy. In these two instances I was addressing the way in which these issues are materialized. I remain interested in this type of investigation, but outside the field of representation.*

CC *: In the work at the ARC, could you explain the relationship that exists between the status of the policemen*

l'autre côté, l'artiste qui est assigné à une position de mise en forme utopique du monde. Le cadre champêtre, dans lequel j'évoluais, venait encore déplacer cette image de l'autorité.

LB : Dans cette œuvre, comme dans les expositions de Tours ou de Genève, on repérait aussi différents codes de représentation placés sur un même plan : les mannequins et les photographies, les tableaux figuratifs et les machines tournantes ou les «statues» et les pièces abstraites.

XV : Dans ces expositions, je voulais rassembler des pièces de nature très différente, émanant de répertoires formels différents. Au moment de la conception des œuvres pourtant, les catégories, figuration et abstraction entre autres, ne sont pas pertinentes. Pour le spectateur, la différence se situe entre une perception immédiate des images à deux ou trois dimensions et les pièces qui introduisent un rapport à la durée. Ma démarche est toujours très pragmatique : j'ai recours à une forme spécifique en fonction de l'effet recherché. La fonction des machines tournantes, par exemple, consiste en un dispositif visant à perturber l'ensemble de l'exposition. Leurs mouvements lents et excentriques introduisent une temporalité du regard, à laquelle justement le spectateur est à l'ordinaire soustrait.

LB : Face aux praticables de l'exposition du MUKHA ou devant l'écran de cinéma présenté à New York, on a l'impression que tu cherches à thématiser la perception à travers des supports coupés de leur fonctionnalité habituelle. Ainsi, ce qui ferait le lien entre les

and the photographs on the street lamps? In these photographs you depicted yourself in the guise of a particularly authoritarian figure: the policeman.

XV : What interests me is to appear at the opposite end of a sort of commonly accepted social sequence where, on the one hand, the policeman enforces a generally accepted social order, and on the other the artist is assigned the task of shaping a utopian world. The bucolic setting in which I was photographed had the effect of displacing this image of authority.

LB : In this work, as in the exhibitions in Tours and Geneva, it is possible to identify different codes of representation which are attributed the same status – models and photographs, figurative paintings and revolving mechanisms, "statues" and abstract pieces.

XV : In these exhibitions I wanted to confront works of a very different nature, originating from various formal repertories. Nevertheless, when a work is actually conceived, these categories – figurative and abstract among others – have no relevance. For the spectator, the difference is situated on a perceptual level: the instantaneous recognition which a two- or three-dimensional image permits, and the notion of duration in the perceptual process which other works necessitate. My approach is always very pragmatic. I choose a specific form based on the effect which I want to achieve. For example, the revolving mechanisms are intended as an apparatus which disrupts the exhibition as a whole. Their slow and eccentric rotations introduce an aspect of temporality into the viewing process, something from which the spectator is usually distanced.

différents vocabulaires formels que tu utilises, ne serait-il pas de l'ordre d'un conditionnement de la perception du spectateur ?

XV : À mon avis, cette tentative est toujours plus ou moins vouée à l'échec, mais, en plaçant le spectateur devant un objet dont on révèle les effets, parfois même en allant jusqu'à affirmer le truquage qui les génère (*L'Homme volant*, par exemple), elle induit une activation du regard. Le spectateur reprend alors la gestion de sa perception et ne peut se satisfaire d'une expérience commune.

CC : Une perception qui se joue pourtant des perturbations inhérentes aux déplacements des modèles convoqués : les formes élémentaires, proches de celles employées dans l'art minimal, sont par exemple animées d'un mouvement. Elles perdent de ce fait leur pouvoir de modifier notre rapport à l'espace, comme pouvaient encore le prétendre les pièces de Robert Morris notamment. L'exposition de Tours proposait ainsi le réinvestissement de formes et de problématiques, parfois contradictoires, issues des années soixante, acquérant du même coup une dimension de manifeste.

XV : Il est impossible d'invoquer de tels mouvements dans leur aspect politique ou idéologique puisque le monde réel les a intégrés sans respecter l'ordre parfait qu'ils proposaient. La réalité est plus cinétique que l'art cinétique et plusieurs ballets mécaniques se jouent simultanément. À mon sens, ces références relèvent moins d'un univers de citations que d'un certain pragmatisme. Ce qui m'importe, c'est toujours l'effet produit plutôt que la forme empruntée.

LB : Cette gestion extrêmement pragmatique de la modernité comporte donc une nécessaire dimension d'expérimentation…

LB : Confronted with the practicable elements of the exhibition at the MUKHA or the movie screen shown in New York, it seems that you are trying to render perception thematic through the use of elements that are removed from their usual function. Would it therefore be accurate to state that it is the conditioning of the perception of the spectator which establishes a link between the different formal vocabularies you employ?

XV : It seems to me that this type of endeavour is always more or less destined to failure, but by placing the spectator in front of an object whose mechanisms are apparent – sometimes, as in the case of L'Homme volant [The Flying Man], going so far as to reveal the special effects which produce them – the spectator's acuity of vision is reinforced. The spectator is encouraged to reclaim possession of the management of his perception and will not be satisfied by anything but a personal experience.

CC : This perception plays however on the disruptions inherent in the displacement of the appropriated models. Elementary shapes, close to those of minimal art for example, are activated by motion, thereby losing their power to modify our relationship to space, a power which the works of Robert Morris, for instance, could still claim. The exhibition in Tours seemed to propose the reinvestment of sometimes contradictory forms and ideological debates dating from the 1960's, thereby acquiring a manifesto-like dimension.

XV : It is impossible to invoke the political or ideological aspects of such movements because they have been integrated into the real world with no consideration for the utopian order they proposed. Reality itself is far more kinetic than kinetic art. Several "Ballets mécaniques" occur simultaneously. In my mind these references are more a reflection of a certain pragmatism than the deployment of a universe of references. I am

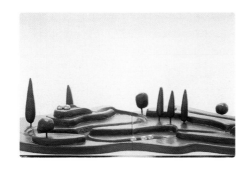

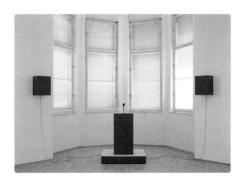

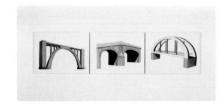

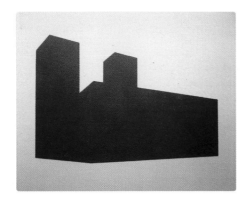

XV : Cette notion d'expérimentation est aussi étroitement liée à la modernité. En effet, j'aime travailler avec des motifs porteurs d'une sorte d'énergie et d'une dynamique, dont le caractère positiviste est systématiquement contredit par la réalité. Chaque fois que j'utilise une idée de mouvement ou de chronologie, par exemple, j'ai recours à des éléments en rotation ou à des effets de boucle, qui illustrent dans le même temps la vanité de ce mouvement.

CC : Ton premier travail en peinture semblait de la même façon se jouer de procédures mises en place dans la deuxième moitié des années soixante, autour de l'idée de classification et de répertoire.

XV : Ce qui m'intéressait alors, c'était de faire percevoir les objets produits en série comme autant d'objets différents, de pousser l'identique jusqu'au point d'émergence de particularités. En revoyant ces travaux, je les relie aujourd'hui à une volonté d'établir un lexique de base, un langage commun à partir duquel on puisse s'entendre.

LB : Pour caractériser ce rapport au langage, serait-il possible d'avancer que tu es passé d'un usage de la langue à celui de la parole, au sens où de Saussure caractérisait l'appropriation personnelle du langage ?

XV : Certainement. Le fait d'avoir établi un vocabulaire de base m'autorise aujourd'hui à des interventions hétérogènes d'un point de vue « stylistique ».
Au niveau des pièces elles-mêmes, il n'y a pas très longtemps que je les conçois comme des mots formant des phrases susceptibles d'une composition quelque peu aléatoire. Auparavant, j'essayais de mettre en

always more concerned by the effect produced than the form employed.

LB : Your extremely pragmatic management of modernity necessarily involves an experimental dimension…

XV : The notion of experimentation is itself closely linked to the concept of modernity. In fact I like working with elements which convey a sort of energy or dynamism, where the positivist character is systematically contradicted by reality. Whenever I invoke the notion of movement or chronology for example, I have recourse to rotating or revolving elements together with loop effects which simultaneously illustrate the vanity of this motion.

CC : Your early paintings seemed likewise to refer to certain practices involving the notion of classification or inventory developed in the latter half of the 1960's.

XV : What interested me at the time was to encourage the perception of produced objects in series for their individual specificity, to insist on the notion of the identical to the point where distinguishing factors start to emerge. When I consider these works today, I relate them to a desire to draw up a basic vocabulary: a lexicon or common language which would form the basis of a sort of consensus agreement.

LB : To describe this relationship to language, would it be correct to say that you have shifted from the use of language to that of speech, in the sense in which de Saussure characterised the personal appropriation of language?

XV : Yes, certainly. The fact that I had previously drawn up a basic vocabulary enables me today to undertake activities which are heterogenous from a stylistic point

place des œuvres qui étaient verrouillées comme des mots isolés et que l'on ne pouvait faire jouer que par la répétition.

CC : Plutôt que d'écrire le mot « pigeon », tu préfères passer par l'image, et cela malgré le fait que la représentation soit ici induite par un procédé de type conceptuel.

XV : Oui, parce que je crois que l'effet produit par l'image du pigeon a une valeur que le mot ne peut atteindre, même lorsque les deux termes sont placés en position d'équivalence. Dans les objets en trois dimensions, on retrouve cette volonté d'inscrire les contours du mot dans l'objet, d'être en quelque sorte plus large, plus vacant que les représentations habituelles, forcément restrictives. Pour ne pas affaiblir cet impact du visuel, j'évite également toute citation directe d'autres œuvres ou toute référence explicite.

CC : Pour revenir aux procédés impliquant la série en peinture, pourquoi recourir à la peinture plutôt qu'à un quelconque moyen de reproduction ? Tu ne sembles pas chercher ici – comme c'est le cas dans d'autres projets ayant trait notamment à la mécanique ou à la propulsion – à maîtriser les données techniques de la peinture.

XV : C'est une question complexe. D'une part parce que dans mon travail actuel en peinture, j'ai cessé de faire ce type de tableau. L'inventaire entamé ne tendait pas à la complétude. D'autre part parce que ce qui m'intéressait d'un point de vue technique, c'était de mettre le spectateur devant un investissement physique et manuel indéniable. Dans les peintures en question, il n'y a pas cette élégance de l'objet pictural – qui donne l'impression d'être là plutôt que d'être fait. Mes œuvres conservent une dimension d'illustration d'un travail,

of view. As far as the pieces themselves are concerned, I have only recently begun to see them as words forming sentences capable of a potentially random composition. Before this I was trying to create works whose interpretation was pre-determined, like isolated words. In this case you could only activate them by repetition.

CC : *Rather than write the word "pigeon", you prefer imagery as a vehicle to define this signification, and this in spite of the fact that, here, the representation is brought about by a conceptual procedure.*

XV : *Yes, because I think the effect produced by the image of the pigeon has an impact which the word cannot attain even when the two "terms" are placed in a position of equivalence. In the three-dimensional works this desire to inscribe the contours of the word in the object is present; to attempt to be in some way broader and more open than in usual representations which are necessarily restrictive. To prevent the weakening of this visual impact, I also avoid any direct quotation from other works and any explicit reference.*

CC : *To return to your paintings involving the serial principle, why do you employ this medium rather than another means of reproduction? Here, unlike in other works involving the principles of mechanics or propulsion, you do not seem to be attempting to master the technical aspects of the medium.*

XV : *This is a complicated issue. On one hand, in my current paintings, I have stopped making works which repose on this principle. The inventory which I began was never intended to be exhaustive. On the other hand, what interested me from a technical point of view, was to bring the spectator to an awareness of an obvious physical and manual investment. In the paintings in*

comme une sorte d'indice d'un investissement.

LB : Ta première exposition était une exposition de peinture. Avec Pierre Bismuth, tu avais alors loué un théâtre et invité le public à assister à une « représentation de tableaux ».

XV : Nous étions à ce moment-là un peu assommés par notre propre logorrhée picturale, et, tout en voulant montrer une grande quantité d'œuvres, nous nous posions la question du temps imparti. Ainsi, plutôt que de montrer des peintures immobiles et en grand nombre et de faire passer des gens devant, nous avions choisi de placer le public dans une situation à la fois d'immobilité et de confort et de faire défiler les peintures devant lui.

CC : À travers ton travail, quelle place et quelle fonction assignes-tu aujourd'hui à l'artiste dans notre société ?

XV : Je suis particulièrement concerné par la responsabilité morale de l'artiste, et les limites de celle-ci. Cette question est elle-même reliée à celle des limites du microcosme artistique. Dans l'art, on est en effet dans le domaine du simulé, du jeu, où rien ne semble porter réellement à conséquence. Or, la responsabilité vient précisément de cette facilité-là : le fait de manier des concepts souvent périlleux, sans pour autant que cela sorte du sous-ensemble fictionnel de l'art, place l'artiste devant la responsabilité de ses choix. Il s'agit d'évacuer le romantisme souvent attaché à la figure de l'artiste, mais aussi de comprendre comment devenir un acteur social à part entière, c'est-à-dire de rendre les œuvres ou les propositions artistiques effectives en dehors des murs d'une galerie ou d'une institution à vocation culturelle. Il s'agit de profiter de cette zone

question, the inherent elegance of the pictorial object is absent : that elegance which creates the impression that something is "there" rather than "made". My works contain a dimension which provides an illustration of a working process, a sign of physical involvement.

***LB** : Your first exhibition was an exhibition of paintings. Pierre Bismuth and yourself hired a theatre and invited the public to attend a "representation" of paintings.*

***XV** : At that time we were a bit overwhelmed by our own pictorial prolixity. While we were keen to show a lot of works, we were also concerned about the amount of time which would be allotted to each piece. So rather than hanging a large number of paintings, and having the public file past them, we decided to put the public in a situation that was both static and comfortable, and to present the paintings to them one by one.*

***CC** : Through your work, what place and function do you assign to the artist today?*

***XV** : I am particularly concerned with the artist's moral responsibility and the limits of that responsibility. This issue is itself linked to the question of the boundaries of the artistic microcosm. In the field of art, one is actually in the realm of simulation and make-believe where nothing really seems to be of any consequence. But it is precisely this particular facility that creates the responsibility: the manipulation of often perilous concepts, while remaining within the fictional subset of art, brings the artist face to face with the importance of the choices he makes. This means abandoning the romanticism which is often associated with the figure of the artist, but also understanding how to become a member of society in the fullest possible sense: making art works or artistic propositions effective beyond the confines of*

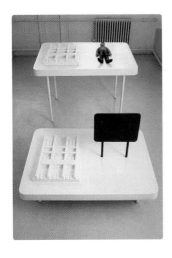

protégée tout en adaptant les propositions qui en découlent à l'échelle publique.

CC : À ton avis, la fonction de ce sous-ensemble est-elle de l'ordre du commentaire ou de l'action concrète ?

XV : Je dirais que l'art, en tant que sous-ensemble du réel, est un outil de compréhension de celui-ci.

LB : Ce n'est donc pas un modèle que l'on pourrait transposer et reproduire à plus grande échelle ?

XV : Non, cela ne fonctionnerait évidemment pas. Ma responsabilité, c'est aussi de déterminer, dans la mesure où je tente de sortir de cette sphère, comment modifier ces modèles, ces outils pour les rendre viables. N'importe quelle œuvre mise en situation publique peut être rendue inopérante simplement parce qu'elle perd son contexte initial. Elle peut être rendue illisible par la moindre altération. C'est pour cette raison que, lorsque *La Garde Républicaine* a été exposée, il fallait qu'elle soit surveillée. Le changement de contexte était en quelque sorte placé sous surveillance...

CC : Qu'en est-il de l'*Île* qui s'intègre à un paysage et semble davantage fonctionner comme une image puisque le spectateur ne peut y accéder ?

XV : Malgré l'importance physique et l'aspect ostentatoire de l'*Île*, le spectateur ne peut pas estimer précisément ni sa superficie ni son volume. Cette position d'image est toutefois une force et une fragilité, car, étant en osmose avec le contexte, il s'agit d'éviter toute dégradation. Des enfants s'amusent à jeter des marrons dessus ; en automne, des feuilles viennent s'amasser sur sa surface. Cela n'est toutefois pas un

galleries and culturally oriented institutions. It is a question of making the most of the privileges of this protected zone, while at the same time adapting the proposals resulting from it onto a public scale.

CC : *In your opinion, does the function of this subset have to do with commentary or tangible action?*

XV : *I would say that art, as a subset of the real, is a tool for understanding reality.*

LB : *So therefore art is not a model that you could transpose and reproduce on an enlarged scale?*

XV : *No, that obviously would not work. Given the fact that I am trying to depart from this sphere, my responsibility also involves determining how to modify these models and tools to make them viable. Any kind of art work which is placed in a public situation can cease to fulfill its intended function simply because it has been removed from its initial context. It may be made illegible by the slightest alteration. This is why, when* The Republican Guard *was shown outdoors, there was a need for regular observation. In a sense, the change of context was put under surveillance.*

CC : *What about* L'Île (The Island) *which is fully integrated into a landscape but which appears to function more as an image because the spectator is unable to access it.*

XV : *Despite the imposing dimensions and the ostentatious appearance of* The Island, *the onlooker is unable to determine its surface area or its volume. Its position as an image is nevertheless both a strength and a weakness. By being totally integrated into the context, it removes the risk of physical degradation. Children play*

problème, puisque, de temps en temps, quelqu'un vient la nettoyer, voire la repeindre. Elle doit en effet conserver une couleur aussi proche que possible de son environnement.

LB : Puisque que tu considères l'art comme un outil d'appréhension du réel et non comme un commentaire ou une maquette, est-ce que les modèles élaborés par la science te paraissent pertinents lorsqu'ils sont transposés dans le champ artistique ?

XV : Je suis très intéressé par l'évolution de ces modèles. Je pense pourtant que la science et l'art se développent en parallèle et que les tentatives de croisements ou de collaborations rejoignent cette volonté illusoire de faire un art total. Fondamentalement, cela ne peut pas marcher, car les spécificités s'annulent. Les développements récents de la neurobiologie, le concept de relativité, la notion d'élasticité du temps ou l'existence simultanée de formes identiques en plusieurs endroits (avec l'ambiance du réel électronique) sont des sujets importants pour toute pensée artistique aujourd'hui. Il faut cependant se méfier de la transposition littérale de ces concepts. Ce qui me semble plus pertinent, c'est d'observer comment les scientifiques travaillent en amont de leurs recherches, comment ils réintroduisent par exemple des notions d'approximation, comment ils se permettent de réinvestir les domaines de l'intuition ou de la rêverie dans le cadre de leur travail même. De nombreux mathématiciens de haut niveau, par exemple, se plongent dans des états de non-vigilance pour élaborer des solutions originales aux problèmes posés.

CC : Cela rend bien compte en définitive de ta gestion de la modernité.

XV : La dimension moderniste qui me paraît la plus significative, c'est celle d'un postulat existentiel. J'en retiens ainsi les valeurs attachées à la vitesse, la violence, la virilité ou le dynamisme. C'est-à-dire, la rapidité, entendue non pas au sens de superficialité à l'encontre des choses, mais de lucidité, de vision sans compromission ni contact. Certaines œuvres ont un impact visuel qui fonctionne comme un raccourci et s'assortissent d'une forme de violence, car cet effet est imparable, rapide et instantané. Cela explique mon intérêt pour l'art américain, pour cette espèce de jeunesse congénitale qu'il peut avoir...

LB : Si l'on voulait résumer ta position par rapport à la modernité et par rapport au statut de l'artiste dans la société, on pourrait avancer qu'il s'agit d'une morale de la pragmatique.

at throwing chestnuts at it. In autumn leaves accumulate on its surface. But this isn't a problem because every so often it is cleaned and even repainted. The Island must, in fact, maintain a coloration that is as close as possible to its environment.

LB : Since you consider art as a tool for perceiving reality, and not as a commentary or a maquette, do you find the models elaborated in the scientific field relevant when they are transposed into the realm of art?

XV : I am very interested in the development of these models. However I do think that science and art develop in a parallel fashion, and that attempts at interdisciplinary and collaborative ventures relate to that illusory desire to produce a "total art". Basically that cannot work because the specifics of each field cancel each other out. The recent developments in neurobiology, the concept of relativity, the notion of the elasticity of time or the simultaneous existence of identical forms in several places (within the ambience of the electronic real) are all subjects of equal importance for artistic thinking today. We must, however, be wary of the literal transposition of these concepts. What seems more pertinent to me is to observe how scientists work in the early stages of their research; how, for example, they are reintroducing notions of approximation, how they allow themselves to reinvest the realms of intuition and reverie within the precise framework of their research. Many high-level mathematicians, for example, sink themselves into non-vigilant states of mind to stimulate the discovery of original solutions to the problems posed.

CC : In fact, this sums up fairly well your management of modernity.

XV : It seems to me that the most significant modernist dimension involves an existential postulate. Therefore I am attentive to the values attached to speed, violence, virility, and dynamism. That is to say, rapidity, not in the sense of a superficial reaction against things, but as lucidity and vision without compromise or contact. Some works have a visual impact which functions like a short cut. They are endowed with a form of violence in the sense that this effect is inescapable, swift, and immediate. This explains my interest in American art, and in that kind of congenital youthfulness it can have.

LB : To sum up your position in relation to modernity, and to the place of the artist in society, one could say that it involves a pragmatic morality.

XV : When I talk about eliminating romantic views in relation to art, it means considering the onlooker's opinion as raw material. I try to maintain a clear formal

XV : Lorsque je parle d'abandonner toute vision romantique par rapport à l'art, il s'agit de considérer l'opinion du spectateur comme un matériau brut. Je cherche à tenir un langage formel clair pour mieux anticiper une réaction. Le fait que la perception de l'œuvre échappe forcément à mon contrôle quant elle rencontre l'histoire personnelle du spectateur ne doit pas décourager cette tentative. C'est une prise en compte de l'autre, une forme de respect, de considérer le spectateur dès le départ. On ne conçoit pas d'œuvre sans les autres : l'artiste se situe à l'opposé de l'autiste.

CC : Tu parles souvent de dispositifs mis en action par un spectateur. Est-ce que tu penses qu'une personne peut renouveler son expérience de telles œuvres sans que son intérêt faiblisse ?

LB : Dans l'art cinétique ou optique, par exemple, la pièce finit souvent par se réduire à son dispositif : lorsqu'on a joué une fois avec les transformables d'Agam ou

language which enables me to anticipate a reaction. The fact that the perception of the work obviously escapes my control when it encounters the onlooker's personal history should not discourage this endeavour. The desire to take the onlooker into consideration from the outset implies an awareness of the other, a form of respect. One cannot conceive an artwork in isolation. The artist is the opposite of the autistic.

CC : You often refer to devices which are set in motion by a viewer. Do you think a person can renew his experience of such works without his interest fading?

LB : In kinetic and optical art for example, the work often ends up being reduced to its mechanism. When you've played once with Agam's transformables, or walked twice in front of a late Soto, it can be difficult to renew the esthetic experience.

XV : Of course, there is invariably a certain "Amazing World of Discovery" side to it, like those experiments

passé deux fois devant un Soto tardif, il peut être difficile de reconduire l'expérience esthétique.

XV : Certes, il y a là toujours un certain côté « Palais de la Découverte » à l'instar de ces expériences que l'on visualise uniquement pour leur principe physique. Ce qui m'intéresse, c'est que devant une situation d'œuvre, le spectateur soit conscient de ce qu'elle apporte et de la perception qu'elle induit. Bien que mes travaux soient souvent affirmés ou démonstratifs, ils tentent de ménager cet espace de projection. Ils laissent un vide qui est, ainsi qu'on le disait tout à l'heure des peintures génériques, quelque chose comme le vide du mot.

CC : En quelque sorte, une peinture qui attirerait le spectateur pour mieux le rejeter…

LB : L'emblème en serait cet écran de cinéma vide, comme une projection manquante…

XV : Un des dispositifs les plus exemplaires dans cette optique est certainement celui de l'installation du Consortium. Le spectateur active en effet littéralement l'œuvre, puisque c'est en ouvrant la porte qu'il déclenche le départ d'une boule sur le circuit. Le dispositif s'accompagne de toute une imagerie moderniste (la construction, le bruit, la vitesse), mais totalement vaine. J'avais pensé dès le début cette installation comme une métaphore de la vision. Non seulement la pièce est rendue opérationnelle par l'action du spectateur, mais celui-ci peut également choisir une autre position et attendre que le visiteur suivant pousse la porte. Il devient alors complice de la machinerie, de

that you witness solely for their physical principle. What interests me is that, in the presence of an art work, the spectator is aware of what it offers and of the possibilites of perception it reveals. Although my works may often be stated and demonstrative, they attempt to provide this zone of projection. In a similar vein to what we stated earlier concerning the generic paintings, they leave a vacant space which is akin to the void of the word.

CC : *In a sense, a painting which would attract the viewer, the better to spurn him…*

LB : *The symbol of this is probably your empty movie screen, like a missing projection…*

XV : *From this point of view, one of the best examples of such devices is undoubtedly the installation at the Consortium in Dijon. In this case the visitor literally sets the work in motion because when he opens the door he triggers the release of a ball on the circuit.*

The exhibition apparatus is associated with an entirely modernist imagery (construction, noise, speed), but it is totally futile. From the outset, I had thought of this installation as a metaphor of vision. This piece is rendered operational by the spectator's action, but he can also choose another position by waiting for the next visitor to push open the door. He then becomes an accomplice to the machinery and the artifice. However I do not believe in the operational dimension of art works beyond certain appropriated structures, nor do I believe in the interactivity proposed by any old screen you can click on. "A punch in the face, that's interactive!".

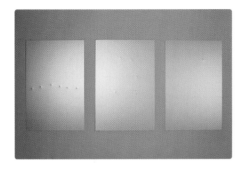

l'artifice. Cependant, je ne crois pas à la dimension opérationnelle des œuvres en dehors de certaines structures appropriées, ni à l'interactivité proposée par n'importe quel écran sur lequel on puisse « cliquer ». « Un poing dans la gueule, ça c'est interactif ! »

CC : Qu'en est-il de la question du style ? Ton travail te semble-t-il par exemple formellement reconnaissable ?

XV : Lorsque je réalise des pièces avec des objets pré-existants comme la cheminée du CAPC par exemple, les choix que j'opère font souvent que l'œuvre m'est formellement attribuable. Mais il n'y a pas au sens strict de véritable unité formelle, plutôt des liens conceptuels entre les différents travaux. Entre *Le Véhicule* et *L'Homme volant*, des photos sur tissu et des mobiles, la continuité est assurée non pas par un liant de type stylistique, mais par une pragmatique. Je m'intéresse aussi à l'idée que mon travail puisse se diluer dans des formes que le public connaît déjà, puisse infiltrer aussi bien l'art cinétique que l'art minimal, s'étendre à d'autres champs que ceux de l'art pour se fondre dans des fonctionnements inhabituels. On voit très clairement aujourd'hui comment certains artistes se diluent dans le champ du cinéma ou de la télévision. Pourquoi alors ne pas opter pour une dilution dans un « modernisme » de réaction, ne pas choisir la statuaire plutôt que la « culture dance » ? ◉

CC : What about the issue of style? Does your work strike you as formally identifiable?

XV : When I make pieces with pre-existing objects like the fireplace at the CAPC in Bordeaux for example, the choices I make mean that the work can be formally attributed to me. But strictly speaking, there is no real formal unity. Rather, there are conceptual links between the different works. Between The Vehicle *and* The Flying Man, *photos printed on fabric and mobiles, the continuity is guaranteed by a bonding agent of a pragmatic rather than a stylistic nature. I am also interested in the idea that my work can be diluted into forms which the public is already familiar with, that it can infiltrate kinetic and minimal art alike, that it can penetrate spheres unrelated to art activity and merge with unusual modes of functioning. Today it is easy to see how certain artists are infiltrating the field of film and television. So why not opt for being watered down in a "modernism" of reaction? Why not choose statuary rather than the "dance culture"?* ◉

Sans titre (Les Bars de T.G.V.)
Untitled (TGV Bars)
1995 détail

TRANSFERT PHOTOGRAPHIQUE SUR TISSU

3 x (30 x 40 cm)

Genève, collection Nicola et Robert Fehlmann

Les trois images, organisées comme une séquence libre, prennent pour sujet « Le Bon Moment », l'espace restauration de certains véhicules récents de la SNCF – les trains à grande vitesse. Les bars de T.G.V. appartiennent à cette catégorie d'espaces où le transit, le déplacement et la vitesse ont été amenés à un niveau de lisibilité. L'architecture d'intérieur et le design sont ici mis en jeu de façon sur-signifiante : ils doivent offrir un supplément de sens à la couverture et l'aménagement d'un espace. En outre, les bars des différents T.G.V. se distinguent par une dominante de couleur spécifique (jaune, vert, rouge), appliquée comme une signalétique. L'intérieur, enfin, est sans confort ni fonctionnalité réelle, mais offre par une série de découpes vitrées de forme arrondie une saisie particulière du paysage. Le panorama n'est plus simplement délimité par un cadre orthogonal, il est redessiné (« redesigné ») comme un objet de consommation améliorable. Les angles des trois éléments de l'œuvre, à qui le procédé de transfert évite toute problématique d'écriture photographique, subissent un traitement similaire – affichant ainsi leur caractère d'objet aussi bien que d'image.

The subject of the three images, arranged as a free sequence, is "Le Bon Moment", which is the name of the refreshment area in certain recently built French railway cars – part of the TGVs or high-speed trains. These TGV bars belong to a category of spaces where transit, displacement, and speed have all attained a level of readability. Interior architecture and design are here deployed in an super-meaningful way : they must offer an added sense to the scope and plan of a space. What is more, the bars of the different TGVs are distinguishable on the basis of their specific dominant colour (yellow, green, red), which is used as a form of colour coding and identification. The interior, last of all, is void of any real comfort or functional quality, but, by way of a series of rounded, glassed-in, cut-out apertures, it does offer a particular take on the landscape. The view is no longer merely delimited by a right-angled frame. Rather, it is redesigned ("redesignated") as an improvable consumer item. The corners of the three parts of the work, where the transfer process sidesteps any problems to do with photographic style, are dealt with in a similar way – thus declaring their characteristics as objects and images alike.

L'Homme volant
The Flying Man
1995

DIAPOSITIVE RÉTROPROJETÉE

72 x 48 CM

PARIS, GALERIE JENNIFER FLAY

L'image montre l'artiste suspendu à quinze mètres du sol. L'action a eu lieu sur un rond-point à la périphérie de Tours. Un harnais maintient l'artiste dans une position simulant le vol. La photographie a été prise par un assistant soumis au même traitement, et ne cherche pas à dissimuler le filin qui relie l'artiste à une grue. En dévoilant ainsi l'artifice de la prise de vue et du « vol », l'image prend à revers l'utopie d'un art échappant aux contingences matérielles du monde. En quelque sorte, elle renvoie le mythique saut dans le vide d'Yves Klein à son équivalent désenchanté : l'illusionnisme à la David Copperfield. L'œuvre a notamment été présentée au CCC de Tours sur un écran de rétroprojection encastré dans le mur. Le visiteur avait alors accès au dispositif de projection situé derrière une cloison, rejouant au niveau de la présentation la visibilité du truquage.

The picture shows the artist hanging 50 feet above the ground. This event occurred over a roundabout on the outskirts of Tours. A harness holds the artist in a flight-simulating position. The photograph was taken by an assistant who was put through the same treatment, and no attempt is made to conceal the rope attaching the artist to a crane. By thus revealing the tricks behind the shot and the "flight", the image exposes from behind the utopia of a form of art that eludes the practical realities of the world. In a way, it relates Yves Klein's mythical leap into the void to its disillusioned equivalent : the conjuring tricks of David Copperfield. It is worth noting that this work has been shown at the CCC (Centre de Création Contemporaine) in Tours on an overhead projector screen embedded in the wall. On that occasion, visitors thus had access to the projection apparatus installed behind a partition, replaying the visibility of the fakery at the level of presentation.

SANS TITRE (LES GRUES)
UNTITLED (CRANES)

1993

VUE DE L'INSTALLATION AU CONSORTIUM DE DIJON

3 GRUES BLANCHES EN MÉTAL

(HAUTEURS: 260 | 310 | 350 CM)

ET BILLES D'ACIER CHROMÉ, RAIL MÉTALLIQUE, PORTES,

CÂBLES, POUF, MONITEUR ET CASSETTE VIDÉO,

MAGNÉTOSCOPE ; DIMENSIONS VARIABLES

DIJON, CONSORTIUM/ART ET SOCIÉTÉ (EN VOIE D'ACQUISITION)

*W*hen visitors venture into the installation, they start the cranes revolving by means of a system of cables and levers connected to the door. This same system triggers the release of a steel ball on to a track that runs down to the pouf. A monitor showing pictures of scale models running on tracks, and a ball being set in motion by a pendular motion, are built into this piece of furniture. The video thus duplicates the closed-circuit dynamics of the installation. This renders the processes of seeing and viewing tangible. Instead of bringing an abstract visual space to life, as is the case for all images, what is involved here is the setting in motion, by the onlooker's physical action, of a device which allows for the visibility of the work. The device thus works like a mechanical metaphor of seeing.

*E*n pénétrant dans l'installation, le visiteur fait tourner les trois grues grâce à un système de câbles et de leviers reliés à la porte. Ce même système provoque le départ d'une bille d'acier sur un rail qui descend jusqu'au pouf. Dans cet élément de mobilier est encastré un moniteur qui diffuse des images de modèles réduits circulant sur des voies ferrées et d'une boule animée d'un mouvement pendulaire. La vidéo redouble ainsi la dynamique en circuit fermé de l'installation. Celle-ci rend concrets les mécanismes de la vision : au lieu d'activer, comme pour toute image, un espace visuel abstrait, il s'agit ici d'enclencher, par l'action physique du spectateur, un dispositif qui autorise la visibilité de l'œuvre. Le dispositif fonctionne donc comme une métaphore mécanique de la vision.

Sans titre
Untitled

1993

Vue de l'installation au MUHKA, Anvers
bois, plastique, peinture
surface au sol : 230 m²
Paris, Galerie Jennifer Flay

L'installation présentée au MUHKA reconstitue différents dispositifs et supports de représentation : plateau de T.V., podium, enseigne, écran de projection, studio de photographe, scènes diverses, pupitre, tribune de réunion politique et panneau d'affichage. Le visiteur, après avoir emprunté de sombres coulisses et être passé sur une scène pour entrer dans l'exposition, est invité à les utiliser. En rendant opératifs les dispositifs installés, il prend la place de ce qui est habituellement proposé à sa perception esthétique. Au lieu de toute « image », le spectateur aperçoit aux murs, depuis les praticables, des statues silhouettées sensiblement de même taille que lui. Celles-ci, résultant d'un relevé indiciel de leurs contours, font ainsi apparaître, tout comme les praticables, le réel comme indissociable de son modèle de représentation.

*T*he installation shown at the MUHKA recreated various representational devices, venues and backdrops : TV set, podium, sign, projection screen, photographer's studio, scenes, lectern, rostrum for political meetings and billboard. Once visitors have ventured down dimly lit wings and crossed a stage to reach the exhibition, they are invited to make use of these different elements. By making the devices in stalled operative, the visitor takes the place of what is usually offered up to his esthetic perceptions. Instead of an "image", the onlooker sees on the walls, from the practicable scenery, various silhouetted statues more or less the same size as himself. Just like practicable scenery, these statues, resulting from an indexed reading of their contours, cause reality to emerge as something indissociable from its representational model.

Sans titre (Twingo)
Untitled (Twingo)
1993

HUILE SUR TOILE

97 x 130 CM

PARIS, GALERIE JENNIFER FLAY

À l'instar des peintures précédentes de Xavier Veilhan, celle représentant la voiture de type « Twingo » ne se soumet pas aux impératifs « classiques » du médium utilisé. Le tableau se borne en effet à pointer un véhicule qui, au moment de l'exécution de la toile, faisait figure – à en croire les campagnes publicitaires – d'automobile idéale de la vie moderne. Son design, résolument jeune et dynamique, ne put pourtant convaincre le public ciblé et la voiture rencontra paradoxalement le succès auprès d'une clientèle plus âgée et déjà installée. Au moment de son lancement, le produit censé incarner la nouveauté était de ce fait frappé d'inactualité, comme si l'entrée en réalité de l'objet déjouait les pronostics les plus avertis. L'inadéquation apparente entre le traitement pictural et le sujet choisi devient donc ici métaphore de la difficulté de l'art à s'immerger dans le réel sans être aussitôt pris de vitesse.

Like Xavier Veilhan's previous paintings, the one depicting the "Twingo" car is not subject to the "classical" dictates of the medium used. The picture is in fact quite content to focus on a vehicle which, when the canvas was being painted – and if we are to believe the advertising campaigns – represented the ideal car for modern living. Its determinedly youthful and dynamic design nevertheless failed to win over the targeted public, and, paradoxically enough, the car chalked up its success among an older and already "comfortable" clientele. When this product, billed as embodying novelty itself, was launched, it was accordingly smitten by being out of synch with the times, as if the object's entry to reality foiled the most informed of forecasts. So here the apparent incompatibility between the pictorial treatment and the subject chosen becomes a metaphor of the difficulty that art has in immersing itself in reality, without being forthwith pipped at the post.

LA GARDE RÉPUBLICAINE
THE REPUBLICAN GUARD

1995

VUE DE L'INSTALLATION DEVANT LE LOGIS DU GOUVERNEUR,
AIGUES-MORTES

MOUSSE DE POLYURÉTHANNE ET RÉSINE POLYESTER PEINTE

4 ÉLÉMENTS, CHACUN : 280 X 280 X 70 CM

PARIS, COLLECTION CAISSE DES DÉPÔTS ET CONSIGNATIONS (3 ÉLÉMENTS)
ET FRAC LANGUEDOC ROUSSILLON (1 ÉLÉMENT)

Les quatre sculptures de *La Garde Républicaine* empruntent le langage vériste de la reproduction. Le long processus artisanal se subsume ici dans les connotations traditionnellement attachées à la statuaire : monumentalité, commémoration et apparat. Chacune a été réalisée grandeur nature en taille directe et indépendamment des autres. Ce type de fabrication entraîne ainsi de notables différences de traitement entre les quatre cavaliers, même si leurs costumes et leur apparence générale sont du même type. Présentées pour la première fois lors de l'exposition du CCC de Tours, les quatre statues équestres ont fait par la suite l'objet de diverses mises en situation en des contextes publics ou historiques. Par sa symbolique martiale, l'œuvre semble alors réactiver, malgré son caractère nomade et son ambiguïté sémantique, les réflexes du spectateur devant un monument. Comme si la perception de celui-ci hésitait entre la statue commémorative du XIXe siècle et les mascottes de supermarché.

The four sculptures forming The Republican Guard *borrow the verist language of reproduction. The lengthy craftsmanlike process is subsumed here under connotations traditionally associated with statuary : monumentality, commemoration, and pomp. Each sculpture has been made life-size, directly carved, and independently of the others. This type of production thus introduces conspicuous differences in the way the four horsemen are treated, even if their uniforms and general appearance are similar. These four equestrian statues were shown for the first time at the CCC exhibition in Tours. Subsequently, they have ended up being placed in various locations in public and historical contexts. Through the work's military symbolism, it thus seems to rekindle the onlooker's reflexes when faced with a monument, despite its nomadic character and its semantic ambiguity. It is as if the perception of the monument wavered between the 19th century commemorative statue and the supermarket mascot.*

LE VÉHICULE
THE VEHICLE
1995

MÉTAL, MOTEUR PULSO-RÉACTEUR
170 x 80 x 70 CM
COLLECTION FRAC AQUITAINE

Le Véhicule est un engin réduit à ses conditions minimales de fonctionnement et ne possédant aucune utilité potentielle. Mû par un moteur de fusée, il ne comporte ni frein, ni accélérateur, ni transmission et n'est que difficilement contrôlé par radio-commande. C'est ainsi qu'il rappelle, non sans ironie, la fascination « futuriste » pour la machine. Il a été d'abord l'objet d'un film, dans lequel il évolue bruyamment dans un décor ajouté à celui du parking d'un hypermarché. Il a par la suite été filmé en déplacement sur le toit d'une discothèque, arrangé en plateau de tournage, dans le cadre de l'exposition *Traffic* à Bordeaux.

The Vehicle is a machine reduced to its minimal operating conditions, and of no potential usefulness whatsoever. Moved by a rocket engine, it has neither brakes, nor accelerator, nor gears, and can only be remote-controlled with some difficulty. It thus calls to mind, not without irony, that "futurist" fascination with the machine. First of all it was the object of a film, where it noisily wheels about in a setting tacked on to a shopping mall carpark. It was then filmed moving about on the roof of a discotheque, decked out like a film set, as part of the Traffic *exhibition in Bordeaux.*

LES MACHINES TOURNANTES
SPINNING MACHINES
1995
VUE DE L'INSTALLATION AU CCC, TOURS
BOIS, TISSU LYCRA, MOTEURS ÉLECTRIQUES
DIMENSIONS VARIABLES
PARIS, GALERIE JENNIFER FLAY

Plusieurs disques à hauteur et diamètre variables sont animés d'un lent mouvement circulaire ou excentrique par des moteurs indépendants et silencieux. Posées au sol et uniformément recouvertes de tissu blanc d'écran de projection, les « machines tournantes » induisent différentes altérations du regard. Soit que le spectateur peine à trancher entre immobilité et déplacement, soit que la rotation des formes en modifie la nature géométrique. Le recours à des effets cinétiques et optiques, plutôt que de renvoyer à des références artistiques précises, permet de thématiser la relation du regardeur à l'œuvre et son inscription physique dans l'espace. En déployant des paramètres perceptuels, c'est sur le sens de la perception esthétique en général que l'artiste entend ici jouer.

Several disks with variable height and diameter are driven by a slow circular or eccentric movement by noiseless, independent motors. Placed on the floor and evenly covered with the white fabric of a movie screen, the "spinning machines" cause different distortions in viewing, either because the onlooker strives to decide between motionlessness and movement, or because the rotation of the shapes alters their geometric nature. Resorting to kinetic and optic effects makes it possible not so much to point to precise artistic references as to render thematic the viewer's relationship with the work and his physical incorporation in the space. By using perceptual parameters, the artist is here intent on playing on the sense of esthetic perception in general.

Le Feu
Fire
1996

Vue de l'installation au CAPC, Bordeaux
métal, bois, extincteur, tissu
1300 x 440 x 40 cm
Paris, Galerie Jennifer Flay

Cette installation invite le visiteur de l'exposition à s'asseoir autour d'un feu, en un signe affiché de convivialité. L'œuvre est constituée d'un foyer de type « gyrofocus » suspendu à un conduit de treize mètres et de banquettes garnies de coussins. Elle permet au spectateur de participer à une opération simple, qui met en jeu cependant des processus chimiques complexes (de transformation, de changement d'état). L'utilisation libre de la cheminée est suggérée par une réserve de bois et un extincteur insérés dans le mobilier du dispositif. Le choix des formes évoque le design des années soixante et convoque ainsi les utopies communautaires qui présidaient à leur invention.

This installation invites visitors to the exhibition to sit around a fire, as a sign full of conviviality. The work consists of a "gyrofocus-type" hearth suspended from a 43-feet flue and bench seats with cushions. It enables the spectator to take part in a simple operation, which nevertheless involves complex chemical processes (transformation, change of state). The free use of the fireplace is suggested by a stack of wood and an extinguisher located in the body of the device. The choice of forms conjures up the design of the 1960s, and thus summons the communitarian utopias which presided over their invention.

Le Voleur
The Thief
1995
Résine polyester
179 x 110 x 85 cm
Chicago, collection famille Morton G. Neumann

Figé dans une position typique de l'intervention policière, *Le Voleur* est une sculpture de résine polychrome. Appuyée directement sur le mur, elle semble rejouer à la fois un certain hyperréalisme et un usage de la pratique sculpturale spécifiquement américaine : sans socle ni attaches quelconques, son équilibre est assuré par ses propres formes soumises à la pesanteur et aux caractéristiques du lieu d'installation. La pièce engage de plus directement le spectateur par son aspect vestimentaire conventionnel (sans appartenance à une classe sociale déterminée) et l'attitude de domination physique engendrée par sa sujétion explicite.

Frozen in a position typical of police action, The Thief is a polychrome resin sculpture. Resting directly against the wall, it seems both to have a certain hyperrealism and to incorporate a use of specifically American sculptural praxis. It has neither pedestal nor any kind of fixture, but its balance is secured by its own forms which are governed by gravity and the features of the installation venue. The piece involves the onlooker even more directly because of its conventional sartorial aspect (belonging to no specific social class) and the posture of physical domination provoked by its explicit subordination.

LES CRÂNES
SKULLS
1994

VUE DE L'INSTALLATION À LA GALERIE JENNIFER FLAY
RÉSINE ET PEINTURE POLYESTER
3 EXEMPLAIRES TOUS DIFFÉRENTS, CHACUN : 85 X 50 X 45 CM
TOKYO, COLLECTION ALEJANDRO CAROSSO ; NEW YORK,
COLLECTION PAULA LEVINE ; PARIS, GALERIE JENNIFER FLAY

Le thème classique de la *vanitas* est ici évoqué, mais en tant que référence culturelle à entrées multiples. Chaque œuvre est investie d'une fonctionnalité précise en tant qu'elle peut servir de siège. Leur regroupement place les spectateurs en situation de conversation, comme s'il s'agissait ici de rendre « praticable » un des lieux communs de la représentation de la vanité de l'existence. Le nombre des crânes et leur traitement formel ramènent du même coup la pièce à une imagerie plus adolescente que philosophique.

The classic theme of vanitas is evoked here, but as a cultural reference with many entries. Each work is given a precise functionality in so much as each one can be used as a seat, and the way they are grouped together puts the onlookers in a conversational situation, as if it were a matter here of rendering "practicable" one of the commonplaces of the representation of the futility of existence. By the same token, the number of skulls and their formal treatment reduce the piece to an imagery that is more adolescent than philosophical.

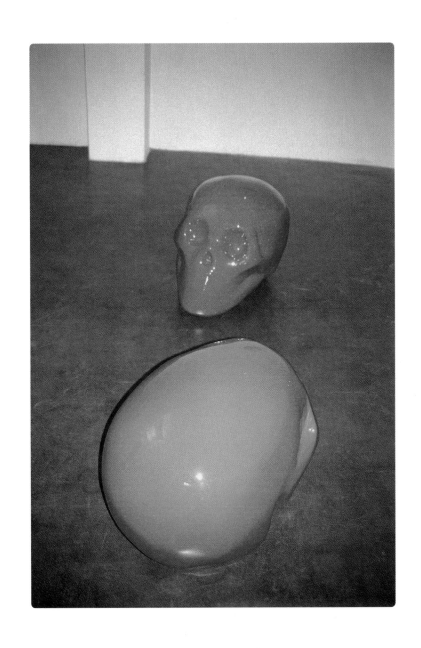

SANS TITRE
UNTITLED
1996
VUE DE L'EXPOSITION À LA GALERIE ANALIX
PHOTOGRAPHIES PLASTIFIÉES, FIXÉES SUR DES MODULES
THERMOFORMÉS BLANCS, CHACUN : 118 X 86 X 8 CM
GENÈVE, GALERIE ANALIX

Lors d'un séjour au Japon, l'artiste entreprend une série de «portraits» photographiques de véhicules automobiles. Comme le montrait déjà un projet de 1989 resté inachevé, où il s'agissait de répertorier photographiquement les véhicules de type « Golf » de la marque Volkswagen garées le long d'une avenue, les voitures – parfaitement entretenues sans être pour autant neuves – sont considérées comme les substituts de leurs propriétaires et de la société japonaise en général. Par leur fixation sur des thermoformages en relief et aux angles arrondis, ces images acquièrent un statut ambigu : la « personnalisation » d'un objet manufacturé ne se distingue plus de la rhétorique commerciale (stand d'exposition de foire ou publicité sur le lieu de vente [PLV]) s'en faisant le vecteur.

During a trip to Japan, the artist initiated a series of photographic «portraits» of vehicles. This work is in a similar vein to an uncompleted project of 1989 in which the artist planned to execute a photographic inventory of all the Volkswagen «Golf» vehicles parked along the side of a street. In this recent work, the cars, all in perfect condition but not brand-new, are presented as surrogates for their owners and Japanese society in general. Mounted on thermoformed low-relief modules with rounded corners, these images acquire an ambiguous status : it is no longer possible to distinguish between the personalisation of a manufactured object and the commercial rhetoric (trade fair booth or promotional material) which conveys this information.

Sans titre (Les Hommes rouges)
Untitled (The Red Men)
1996

Vue de l'exposition au Cabinet des estampes, Genève
photographies retraitées selon un procédé numérique,
plastifiées et posées sur un support en bois
150 x 100 x 40 cm (socle)
Genève, Cabinet des estampes

La série de photographies plastifiées et posées à plat sur des supports aux angles arrondis, montre des hommes cagoulés et vêtus de rouge plongeant depuis un hélicoptère dans un canal du Parc de la Villette à Paris. L'événement n'en a pourtant que l'apparence : c'est en effet le hasard qui a conduit l'artiste à surprendre un exercice de la sécurité civile de Paris – comme si la réalité volait ici à l'art sa capacité de la simuler. Les photographies ont été présentées et réalisées à l'occasion d'une exposition intitulée « Artistes et Photographies » (Cabinet des estampes, Genève), fondée sur les procédures de la collection d'images (Ruscha, Nauman, Miller et Veilhan). Un livre d'artiste publié conjointement par l'institution genevoise et l'École cantonale d'art de Lausanne réunit des détails, non retraités informatiquement mais fortement agrandis, des prises de vue originales. Dans les deux cas, qu'elles aient été retraitées selon un procédé numérique ou simplement agrandies, les photographies de Veilhan inversent le modèle de la peinture hyperréaliste. C'est en effet la reproduction mécanisée qui simule ici une exécution manuelle.

Laminated and fixed to flat wooden mounts with rounded angles, this series of photographs shows men in red hooded suits diving from a helicopter into a canal at the Parc de la Villette in Paris. This "happening", however, has only the appearance of a staged event : by pure chance, the artist was witness to a training session of the Parisian Civil Defense Services. It is as if reality had stolen from art its capacity to simulate the real. The photographs were presented at the exhibition "Artistes et Photographies" (Cabinet des estampes, Geneva), which focused on the procedures involved in the collection of images (Ruscha, Nauman, Miller, and Veilhan). Simultaneously, the Cabinet des estampes and the École cantonale d'art in Lausanne co-edited an artist's book which presents enlarged details of the original photographs (before their manipulation by means of a digital process). In both cases the photographs invert the model of hyperrealist painting. The mechanical reproduction simulates here a manual execution.

LE SINGE
THE APE
1996

PHOTOGRAPHIE RETRAITÉE SELON UN PROCÉDÉ
NUMÉRIQUE ET PLASTIFIÉE, MONTÉE SUR PVC
118 X 80 CM
STOCKHOLM, GALERIE ANDRÉHN–SCHIPTJENKO

Le Singe est une image de et par l'artiste, le montrant sous l'apparence ambiguë d'un primate. La photographie a été réalisée à partir d'un grossier déguisement. Elle a ensuite été numérisée et retraitée à l'aide d'un logiciel qui permet de réduire les valeurs à une moyenne, effaçant ainsi partiellement les contours et les détails de la prise de vue originale. Ce procédé informatique est à la fois extrêmement simple (figurant dans la liste des outils de base de tout logiciel de manipulation des images) et efficace (réussissant à provoquer un doute calculé sur la nature même du référent photographique). En cela, l'artiste parvient à questionner le statut de vérité de l'image indicielle. Il modifie les paramètres d'écriture de celle-ci sans céder à l'« instrumentalisation » technologique ou à la dérive surréalisante de l'imagerie infographique. Nous est de surcroît livré un ironique autoportrait qui n'est pas sans évoquer les «mythologies» que la société tend encore à projeter sur la figure de l'artiste.

The Ape is an image by and of the artist, showing him in the equivocal guise of a primate. A summary disguise was employed during the photographic session. The photograph was then digitalized and reworked with software which permits the reduction of specific values to an average definition, thus partially erasing the contours and details of the original image. This process, which is a basic function of all image-manipulation software, is both extremely simple and efficient, in that it creates a calculated doubt about the nature of the photographic referent. In this way, the artist is able to interrogate the veracity of the given image while modifying the confines of its language, without having recourse to technological instrumentation or to the surrealist tendancy of computer generated imagery. At the same time he presents an ironic self-portrait which is suggestive of the still commonly accepted social mythology of the figure of the artist.

Le Tour
The Potter's Wheel
1996

Vue de l'installation à la Galerie Jennifer Flay
& Caroline Bourgeois
plateau circulaire en bois, structure métallique et
axe de rotation, disque en métal, scooter, tuyaux plastiques, modules thermoformés, terre glaise, lampadaire
halogène ; dimensions variables
Paris, Galerie Jennifer Flay

L'œuvre se présente comme un tour de poterie où chaque élément fonctionnel a été redéfini par l'artiste. Ainsi, un grand disque de bois est animé d'un mouvement par la mise en marche d'un scooter. Le système d'échappement de celui-ci est relié à des tuyaux d'évacuation des gaz. L'axe du tour est fixé sur le centre du plateau circulaire et un plan surélevé permet au « potier » de se tenir debout au-dessus du plateau afin de profiter du mouvement pour imprimer une forme à la terre glaise posée sur le tour. Le processus de travail débutait le jour du vernissage : sans avoir testé au préalable son habileté, l'artiste commençait à tourner les premiers pots, qu'il disposait ensuite sur des supports en plastique thermoformé. Pendant l'exposition, il a poursuivi cette activité en tentant progressivement d'améliorer la bienfacture de ses résultats. La conjonction d'une telle activité, aujourd'hui coupée de toute efficacité productive et cantonnée à une forme d'artisanat décoratif ou aux loisirs dits « créatifs », avec un scooter, icône de la mobilité individuelle en contexte urbain et signe d'une certaine « modernité », ne vise pas à opposer l'existence formelle (sculpturale) d'un dispositif à une production obsolète. Il s'agit au contraire de s'interroger sur des concepts tels que le temps, la durée, le travail et les loisirs, dans le système capitaliste gérant les valeurs de notre société. L'art apparaît ainsi comme le lieu d'annulation de ces distinctions – machine et sculpture ne faisant finalement que produire des « formes » – révélant du même coup leur prégnance hors de ce contexte spécifique.

*T*he work is conceived as a potter's wheel in which each principal functional element has been redefined by the artist. A large circular wooden wheel begins to turn when the motor of a scooter is ignited. The scooter's exhaust pipe is connected to a system of rubber tubing designed to evacuate the fumes. The axis of the potter's wheel is situated at the center of the wooden wheel, and a raised platform enables the "potter" to stand above the rotating disc in order to utilise the movement to impart a form to the piece of clay placed on a metal disc at the center of the wheel. The working process began on the day of the opening. Without having previously tested his aptitude, the artist began making the first pots which were then displayed on the plastic thermo-formed modules. He pursued this activity throughout the exhibition, endeavouring to gradually improve his skills. The association of such a practice (nowadays entirely alien to any notion of productivity and relegated to the realm of decorative craftwork or creative leisuretime activity), with the scooter (icon of individual urban mobility and symbol of a certain "modernity") is not intended to underline the opposition between the formal (sculptural) quality of the apparatus and an obsolete form of production. Rather, the work questions such notions as time, duration, work and leisure-time within the capitalist system which generates the values of our society. Art is revealed as the arena in which such distinctions disappear – the machine and the sculpture both ultimately only produce "forms", thus revealing their potential outside this specific context.

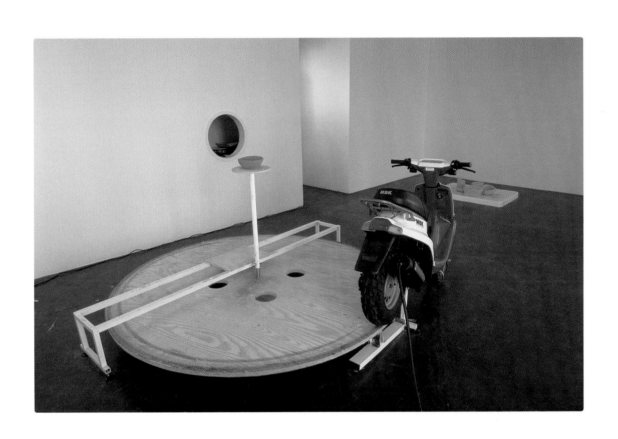

INDEX

Sans titre, 1995
Vue de l'exposition au CCC, Tours
Huile sur toile, 4 peintures maintenues en position
verticale par une béquille
4 x (250 x 140 cm)
Chicago, collection Famille Morton G. Neumann

Sans titre (Petit homme devant l'Hôtel-de-Ville), 1994
(Galerie Sandra Gering, New York 1994)
Mousse de polyuréthanne et résine polyester peinte, peinture
murale (réalisée ultérieurement sur toile)
figure : 66 x circa 18 x circa 9 cm / peinture : 120 x 190 cm
Chicago, collection Famille Morton G. Neumann

Genève 1995
Vue de l'exposition à la galerie Analix

Sans titre (Machine tournante), 1994
Moteur, tissu Lycra et bois
140 (diamètre) x 40 cm
collection FRAC Bourgogne

Sans titre (La Moto), 1990
Huile sur toile, 140 x 220 cm
Paris, collection Antoine Le Grand

P. 14

Sans titre (Le Studio), 1993
Vues de l'installation à la Galarie Riis, Oslo
bois, tissu et fil plastique
Paris, Galerie Jennifer Flay
et Stockholm, Galerie Andréhn-Schiptjenko

P. 15

**Sans titre (Projet d'aménagement pour le
jardin de la Villa Pam's, Collioure), 1994**
Maquette en mousse de polyuréthanne
et résine polyester peinte
50 x 110 x 30 cm
Paris, Galerie Jennifer Flay

Anvers 1993
Vue du montage de l'exposition au MUHKA

Sans titre (détail), 1993
Bois, vinyl et peinture
Paris, Galerie Jennifer Flay

Sans titre (Le Disque), 1994
Disque 33 tours en aluminium et acétate
(enregistrement d'un trajet en scooter entre les
places de la Bastille, de Vendôme et de la Concorde)
diamètre : 35 cm, édition à 3 exemplaires
New York, collection Andrew Mer

Sans titre (Pupitre), 1993
Bois et acrylique sur tissu
« pupitre » : 100 x 40 x 30 cm
« podium » : 90 x 90 x 10 cm
« haut-parleurs » : 20 x 20 x 30 cm (chaque)
Paris, Galerie Jennifer Flay

P. 16

Milan 1990
Vue de l'exposition à la Galerie Fac-Simile

Sans titre (Carabine), 1993
Huile sur toile, 50 x 150 cm
Stockholm, collection P. G. et Katharina Jönsson

Sans titre (Petit arbre), 1991
Huile sur toile, 55 x 33 cm
Paris, collection Claude Closky

Sans titre (Les Pierres), 1990
Huile sur toile, 5 x (20 x 20 cm)
Paris, collection Nicolas Bourriaud

Sans titre (Les Ponts), 1990
Huile sur toile, 3 x (50 x 70 cm)
Paris, Galerie Jennifer Flay

Sans titre (Les Maisons), 1990
Huile sur toile, 3 x (50 x 70 cm)
Paris, collection Jennifer Flay

Sans titre (Les Animaux), 1990
Résine polyester peinte, 6 éléments
hauteur : circa 90 cm ; 3 exemplaires
Milan, collection Horatio Goni

P. 17

Sans titre (Les Arbres), 1991
(Villa Arson, Nice 1991)
Peinture murale, circa 90 x 60 cm
Paris, Galerie Jennifer Flay

Sans titre (Hôtel-de-Ville d'Oslo), 1994
(Galerie Riis, Oslo 1994)
Peinture murale, 103 x 154 cm

Sans titre, 1994
Acrylique sur bois, dimensions variables
Collection FRAC Aquitaine
Les éléments de cette installation sont aujourd'hui
réemployés comme décor pour la présentation du
Véhicule, 1995 *[cf. pp. 42-43].*

PP. 18/19

Sans titre (Les Pigeons), 1990 (détail)
Huile sur toile, 9 peintures
Chacune : 24 x 35 cm
Collection FRAC des Pays de la Loire

Sans titre (Casque et mégaphone), 1992
Mousse de polyuréthanne et résine
polyester peinte
Casque et mégaphone réalisés à échelle 1/1
Nice, collection Christian Zervudacki

Repr. : 2 photographies du casque et du mégaphone
mis en situation en vue de **Xavier Veilhan / 1992**,
livre d'artiste, Galerie Jennifer Flay, Paris 1992
+ œuvre installée

Xavier Veilhan / 1992, livre d'artiste,
Galerie Jennifer Flay, Paris 1992, [pp. 3 et 5]

Sans titre (Pommes), 1992
Acrylique sur mousse de polyuréthanne
11 éléments, diamètre : circa 8 cm (chaque)
Paris, collection Joanna Abou Sleiman
Repr. : 1 élément mis en situation

Sans titre (Les Sacs à dos)
Mousse polyuréthanne et résine polyester peinte
Circa 80 x 40 x 35 cm (chaque)
Paris, Galerie Jennifer Flay (2 pièces) et
Nevers, collection Arthus Bertrand-Warnant (pièce verte)

Sans titre (The Bone Piece), 1995
Mousse de polyuréthanne, résine polyester
peinte, bois, aluminium
« os » : 15 x 90 cm
« table » : 74 x 110 x 15 cm
« écran » : 110 x 90 cm
Guadalajara, collection Aurélio Lopez Rocha

P. 20

Sans titre (La Moto)
En cours de réalisation (cf. infra)

Sans titre (La Moto), 1992
Mousse de polyuréthanne, bois, PVC,
résine polyester peinte
130 x 196 x 50 cm
Collection FRAC des Pays de la Loire

Sans titre (Le Rhinocéros), 1993
Huile sur toile
97 x 130 cm
New York, collection Kenny Schachter

Sans titre (Les Fusils), 1993
(La Criée, Rennes 1993)
Peinture murale ; circa 210 x 160 cm
Paris, Galerie Jennifer Flay

Sans titre (L'Île), 1991
Polystyrène et résine polyester peinte
circa 50 m²
Commande publique de l'État et du département
de la Nièvre, parc St-Léger, Pougues-les-Eaux

P. 21

«Notre Dame» I et II, 1994
Thermoformage, bois, métal,
résine polyester peinte
86 x 119 x 86 cm et 86 x 119 x 76 cm
Chicago, collection Famille Morton G. Neumann

Sans titre (Les Transferts)
8 transferts à sec, édition à 12 exemplaires
Galerie Jennifer Flay, Paris 1991
Londres, collection Nell et Jack Wendler

SANS TITRE, 1991
BOIS, PVC, MOUSSE DE POLYURÉTHANNE,
RÉSINE POLYESTER PEINTE
CIRCA 90 M2
CHICAGO, COLLECTION FAMILLE MORTON G.NEUMANN
(2 ÉLÉMENTS)
COLLECTION FRAC POITOU-CHARENTES (8 ÉLÉMENTS)

PARIS 1991
VUE DE L'EXPOSITION À LA GALERIE JENNIFER FLAY

P. 23

SANS TITRE (LA VACHE), 1991
PROJET AVEC FRANÇOIS ROCHE POUR LE
GROUPE SCOLAIRE FRANÇOIS COPPÉE

SANS TITRE (DOM'INO), 1993
HUILE SUR TOILE, 97 x 130 CM
OSLO, GALERIE RIIS

SANS TITRE (NIKE), 1993
HUILE SUR TOILE, 97 x 120 CM
GENÈVE, GALERIE ANALIX

**PROJET POUR UNE STATION DE
TRAMWAY DANS L'AGGLOMÉRATION
ROUENNAISE, 1994**

P. 24

SANS TITRE (BANC ET ÉCRAN), 1995
VINYL, BOIS, MÉTAL
« ÉCRAN » : 182 x 366 CM
« BANC » : 76 x 203 x 47 CM
CARACAS, COLLECTION LEONORA & JIMMY BELILTY

SANS TITRE (CASQUE ET CHAUSSURES), 1995
MÉTAL, BOIS, VINYL, RÉSINE POLYESTER PEINTE
« ÉCRAN » : 152 x 91 x 13 CM
« TABLE » : 63 x 96 x 43 CM
CHICAGO, COLLECTION FAMILLE MORTON G. NEUMANN

SANS TITRE (LES GRUES), 1993
EN COURS DE RÉALISATION AU CONSORTIUM, DIJON
[CF. PP. 34-35]

SANS TITRE (CHEVALIER) 1995
VUES DE L'EXPOSITION À
LA GALERIE SANDRA GERING
MÉTAL, BOIS, VINYL, RÉSINE PEINTE
CIRCA 368 x 254 x 75 CM
CARACAS, COLLECTION LEONORA & JIMMY BELILTY

LE FEU, 1996
VUES DE L'EXPOSITION AU CAPC, BORDEAUX
BOIS, MÉTAL, TISSU, EXTINCTEUR
CIRCA 1300 x 440 x 440 CM
PARIS, GALERIE JENNIFER FLAY

P. 25

LE TOUR, 1996
VUE DE L'EXPOSITION À
LA GALERIE JENNIFER FLAY, PARIS
[CF. PP. 58-59]

PP. 26/27

SANS TITRE, 1996
IMPACTS DE CARABINE À PLOMB SUR ALUMINIUM ANODISÉ
3 x (60 x 40 CM)
NEW YORK, GALERIE SANDRA GERING

SANS TITRE (LES HOMMES ROUGES), 1996
PHOTOGRAPHIE RETRAITÉE SELON UN PROCÉDÉ
NUMÉRIQUE ET PLASTIFIÉE, MONTÉE SUR PVC
132 x 89 CM
PARIS, COLLECTION FRANCINE ET PHILIPPE COHEN

**5 PHOTOGRAPHIES PRISES EN VUE DE
LE SINGE, 1996**
[CF. PP. 56-57]

XAVIER VEILHAN

Né en 1963 à Lyon, vit et travaille à Paris.

EXPOSITIONS PERSONNELLES

1986
124 images live! (avec Pierre Bismuth), Théâtre Grévin, Paris

1990
Un peu de biologie, Galerie Fac-Simile, Milan

1991
Un centimètre égal un mètre, APAC, Centre d'art contemporain, Parc de Pougues-les-Eaux (Nevers)

Galerie Jennifer Flay, Paris

1993
Le Consortium, Dijon
(avec Christiane Geoffroy et Véronique Joumard)

ARC, Musée d'Art Moderne de la Ville de Paris

Galerie Andréhn-Schiptjenko, Stockholm

1994
Galerie Jennifer Flay, Paris

Galerie Riis, Oslo

1995
CCC, Tours

Galerie Analix, Genève

Parvis 3, Centre E. Leclerc, Pau

La Garde Républicaine, FRAC Languedoc-Roussillon
(exposée à l'Hôtel de Grave, Montpellier et au Logis du Gouverneur, Aigues-Mortes)

Sandra Gering Gallery, New York

Le Gisant, French Cultural Services, New York

Galerie Auto Rimessa, Rome

1996
Galerie Jennifer Flay, Paris

Galerie Andréhn-Schiptjenko, Stockholm

Xavier Veilhan, Laurel Katz, Galerie Analix, Genève

EXPOSITIONS COLLECTIVES

1988
Pierre Bismuth, Pierre Huyghe, Xavier Veilhan, Galerie Fac-Simile, Milan

1989
Bismuth – Huyghe – Veilhan, L'Embarcadère, Lyon

Bismuth – Huyghe – Veilhan, Galerie « Ils arrivent », Saint-Etienne

1990
French Kiss, Halle Sud, Genève

Laboratoire, Musée Russe, Léningrad

Rêves, Fantaisies, Galerie du Mois, Paris

Hotel Fantasia, Dionysus Projects Foundation, Rotterdam

Christmas Show (the multiple project room), Galerie Air de Paris, Nice

1991
No Man's Time, Villa Arson, Nice

X Mas Show (the multiple project room), Galerie Air de Paris, Nice

1992
Richard Fauguet, Pierre Joseph, Philippe Parreno, David Renaud, Lily van der Stokker, Georges Stoll, Xavier Veilhan, FRAC Poitou-Charentes, Hôtel Saint-Simon, Angoulême

Claude Closky, Jean-Jacques Rullier, Xavier Veilhan, Galerie Jennifer Flay, Paris

I love you, Hôtel Saint-Simon (FRAC Poitou-Charentes), Angoulême

Les mystères de l'auberge espagnole, Villa Arson, Nice

1993
Neuvièmes Ateliers Internationaux des Pays de la Loire, Gétigné-Clisson (Garenne Lemot)

Domorama, La Criée, Halle d'art contemporain, Rennes

Kinder, Galerie Rüdiger Schöttle, Munich

Thingmakers, Galerie Beam et Paraplufabriek Tijdelijk Museum, Nijmegen

Nouveaux Augures/acquisitions 1992-1993, FRAC Languedoc-Roussillon, Sur les quais, Sète

Als het ware niet meer dan ontmoetingen/Comme rien d'autre que des rencontres/Nothing but encounters as it were, Museum van Hedendaagse Kunst (MUHKA), Anvers

1994

The Figure, 1994, The Lobby Gallery, New York

Tekne & Mètis, organisée par Le Magasin, CNAC, Grenoble (station I : Maison de Chypre, Athènes ; station II : Porte de Famagouste, Nicosie)

R.A.S, Galerie Analix, Genève

Villa Pams/le Jardin des Senteurs (sur un concept de Rüdiger Schöttle), Musée d'Art Moderne, Collioure

Taro Chiezo, José Antonio Hernandez-Diez, Michael Joo, Ben Kinmont, Xavier Veilhan (en deux volets : juillet-septembre et septembre-octobre), Sandra Gering Gallery, New York

Caravensérail, W139, Amsterdam

Europa'94/Junge europäische Kunst in München, Münchner Order Center, Künstler Werkstatt, Galerie im Rathaus, Raum der Inspektion Medizinische Hermeneutik, Munich

L'objet simulé, La Villa du Parc, La Roche-sur-Foron (Annemasse)

Surface de Réparations (deuxième volet), FRAC de Bourgogne, Dijon

Naked City, Galerie Massimo de Carlo, Milan

Still Life, Barbara Gladstone Gallery, New York

1995

Hello !, Galerie Andréhn-Schiptjenko, Stockholm

Cosmos/Des fragments futurs, Le Magasin (CNAC), Grenoble

Collection, fin XXe, Fonds régional d'art contemporain Poitou-Charentes, Hôtel de Région, Musée Sainte-Croix, Le Confort Moderne, Poitiers et Les Bains-Douches, Château Harcourt, Cinéma, Chauvigny

Le Labyrinthe moral/Moral Maze (sur un concept de Liam Gillick et Philippe Parreno), L'usine (Le Consortium), Dijon

Beyond the Borders, Biennale de Kwang-Ju, Corée

Morceaux Choisis, Le Magasin, CNAC, Grenoble

1996

Traffic, CAPC, Musée d'art contemporain, Bordeaux

Esprits animaux/Œuvres du FRAC Languedoc-Roussillon, Espace d'art moderne et contemporain de Toulouse et Midi-Pyrénées, Palais des Arts, Toulouse

Drawings, Spring 1996, Sandra Gering Gallery, New York

Nouvelles acquisitions/Œuvres du FRAC Collection Aquitaine, Carré, Musée Bonnat, Bayonne

(Can we talk?), Basilico Fine Arts, New York

Joint Ventures, Basilico Fine Arts, New York

L'art du plastique (*quarante artistes*), École nationale supérieure des Beaux-Arts, Paris

Artistes & Photographies | Bruce Nauman · Ed Ruscha · John Miller · Xavier Veilhan (Hors scène #2), Cabinet des estampes du Musée d'art et d'histoire, Genève (reprise par le Museum für Literatur am Oberrhein, Karlsruhe, en juin 1997)

ARTICLES

1988

Liliana Albertazzi, « Bismuth, Huyghe, Veilhan », in *Flash Art (edizione italiana)*, Milan, octobre-novembre, pp. 78-79

1990

Frank Gerard Godlewski, « Un po' di biologia », in *Casa Vogue*, Milan, n° 221, juillet-août, p. 71

Laurence Benaïm, « Au pays de Castelbajac/Citizen Kate », in *Vogue*, Paris, n° 708, août, pp. 176-181

Éric Troncy, « French models », in *Artscribe*, Londres, n° 83, pp. 10-12

G. Ciavoliello, rubrique *Spray*, in *Juliet*, Trieste, n° 49, octobre-novembre, p. 66

Paula Gioioso, « Xavier Veilhan/Galleria Fac-Simile », in *Tema Celeste*, Syracuse, n°s 27-28, novembre-décembre, pp. 68-69

1991

Éric Troncy, « No Man's Time », in *Flash Art*, Milan, vol. XXIV, n° 161, novembre-décembre, pp. 119-122

Nicolas Bourriaud, « Xavier Veilhan : une implacable négation de la sculpture par la sculpture », in *Globe*, Paris, n° 63, décembre 1991-janvier 1992, p. 138

1992

Nicolas Bourriaud, « Figuration in an Age of Violence », in *Flash Art*, Milan, vol. XXV, n° 162, janvier-février, pp. 87-91

Ami Barak, « Xavier Veilhan », in *Art Press*, Paris, n° 166, février, p. 97

Éric Troncy, « Xavier Veilhan/Galerie Jennifer Flay, Paris », in *Artscribe*, Londres, n° 90, février-mars, p. 90

Marie-Ange Brayer, « Xavier Veilhan », in *Arte Factum*, Anvers, vol. 9, n° 43, avril-mai, p. 34

Marie-Ange Brayer, « Xavier Veilhan/L'image générique », in *Art Press*, Paris, n° 171, juillet-août, pp. 39-42 [trad. ang. : « Xavier Veilhan/The Generic Image », in n° 190, avril 1994, pp. 51-64]

Yves Aupetitallot et Xavier Veilhan, « Est-ce que l'art peut rendre compte du champ social et de l'actualité ? » (en français et en anglais), in *Documents*, Paris, n° 1, octobre 1992, pp. 40-41

Olivier Zahm, « L'école est finie !!?/Entretien avec François Roche et Xavier Veilhan », in *Purple Prose*, Paris, n° 1, automne, pp. 60-63

Alain-Henri François, « Claude Closky, Jean-Jacques Rullier, Xavier Veilhan/ Conjoncture », in *Voir*, Montreux, novembre-décembre 1992/janvier 1993, p. 37

Olivier Zahm, « Dangerous Games : Xavier Veilhan », in *Artforum*, New York, vol. XXXI, n° 4, décembre, p. 71

1993

Jean-Yves Jouannais, « Ateliers internationaux des pays de la Loire », in *Art Press*, Paris, n° 178, mars, p. 85

Pascaline Cuvelier, « Le club des quatre », in *Libération*, Paris, 10 mars, p. 40

Maïten Bouisset, « Carré d'as dans les salles de l'ARC », in *Art Press*, Paris, n° 179, avril, p. 75

Pascal Pique, « Geoffroy, Joumard, Veilhan/Le Consortium, Dijon », in *Bloc Notes*, Paris, n° 2, printemps, p. 74

Mifa Pivot-Smigielsk, « Art 93 : ceci n'est pas une foire », in *Région*, 16 juin

Xavier Veilhan, Lily van der Stokker et Jack Jaeger, « ... 23 septembre 1993/ Café Beaubourg, Paris/A discussion at the Café Beaubourg, about "The Uncanny" », in *Documents*, Paris, n° 4, octobre 1993, pp. 49-51

Sara Arrhenius, « I det som fattas oss blir vi människor », in *Aftonbladet*, Stockholm, 22 octobre

Maria Lind, « En tyst installation som inte är stum », in *Svensta Dagbladet*, Stockholm, 23 octobre

Dennis Dahlqvist, « Xaviers trendighet », in *Expressen*, Stockholm, 30 octobre

Eva-Lotta Holm, « Jag vill återskapa formen » (entretien avec l'artiste), in *Material*, Stockholm, n° 2, vol.•XVIII, p. 13

Michel Baudson, « Comme rien d'autre que des rencontres/Aspects de l'art contemporain en France », in *Art et Culture*, Bruxelles, 8e saison, n° 4, décembre, pp. 41-42

1994

David Perreau, « Les années 90, expositions paradoxales », in *Artefactum*, Anvers, vol. XI, n° 51, 1/3/94, pp. 12-15

Laure de Gramont, rubrique Arts et Spectacles, in *Vogue*, Paris, n° 744, mars, pp. 50-51

Bernard Marcelis, « Comme rien d'autre que des rencontres/Encounters like nothing else », in *Art Press*, Paris, n° 189, mars, pp. 28-29

Camille Saint-Jacques, « Xavier Veilhan : entrevue », in *Le Journal des Expositions*, Paris, avril, p. 3

Tone Myklebost, « Visuell verden uten de store mysterier », in *Aftenpoften*, Oslo, 27 avril

Lotte Sandberg, « Spill mellom bilde og språk », in *Dagbladet*, Oslo, 10 mai

Judith Benhamou-Huet, « Jeunes artistes : comment s'opère la reconnaissance », in *Les Echos*, Paris, 10 et 11 juin, p. 22

Yorgos Tzirtzilakis, « Tekne and Metis » (entretien avec Adelina von Fürstenberg, en grec et anglais), in *The art magazine*, Athènes, n° 8, juin, pp. 24-37

1995

Cyril Jarton, « Le rire selon Xavier Veilhan », in *Beaux-Arts Magazine*, Paris, n° 131, février, p. 100

Johanna Hofleitner, « Villa Pams/Le jardin des senteurs/Musée de Collioure », in *Flash Art*, Milan, vol. XXVIII, n° 180, janvier-février, p. 49

Harry Bellet, « Xavier Veilhan et les mystères de la garde républicaine », in *Le Monde*, 22 mars, p. 24

Lionel Bovier, « Xavier Veilhan/CCC, Tours », in *Flash Art*, Milan, vol. XXVIII, n° 183, été, pp. 136-137

A[rmelle] L[eturcq], « Xavier Veilhan – CCC Tours – FRAC Languedoc Roussillon », in *Bloc Notes*, Paris, n° 9, été, p. 87

1996

Giorgio Verzotti, « Traffic », in *Artforum*, New York, vol. XXXIV, n° 9, mai, p. 111

Éric Troncy, « Xavier Veilhan – Jennifer Flay & Caroline Bourgeois », in *Flash Art,* Milan, vol. XXIX, n° 191, novembre-décembre, pp. 112-113

PUBLICATIONS DIVERSES

Joël Bartolomeo, *Xavier Veilhan, ARC*, reportage vidéo, 13 min., l'auteur 1993

Ouvrage collectif sous la direction d'Éric Troncy, *L'endroit idéal (ideal place)*, avec des textes d'Éric Troncy, Richard Benson, Christophe Petit... (en français et anglais), Centre d'Art et Jardin, L'Île du Roy (Val de Reuil) 1993

Catherine Millet, *Art Contemporain en France*, Flammarion, Paris 1994 (3e édition)

Contribution de l'artiste in François Roche, *L'ombre du caméléon (trash mimésis)*, Institut français d'architecture et Karedas, Paris 1994, pp. 36-37

David Kidman, *Xavier Veilhan*, reportage vidéo, 12 min., l'auteur 1995

Contribution de l'artiste in *Permanent Food*, n° 2, 1996, Maurizio Cattelan et Dominique Gonzalez-Foerster, Association des Temps Libérés, Dijon, p. [135]

CD-ROM produit par Frequent Form, projet « Sifon », Edition Hakan Nilsson, Stockolm 1996

Contribution de l'artiste in *Self Service*, Paris, n° 3, 1996

[...], livre d'artiste, 24 pp., Cabinet des estampes du Musée d'art et d'histoire & École cantonale d'art de Lausanne, Genève et Lausanne 1996

CATALOGUES D'EXPOSITIONS MONOGRAPHIQUES

Bismuth, Huyghe, Veilhan, avec un texte de Liliana Albertazzi (en italien), Milan 1988, Galerie Fac-Simile

Bismuth, Huyghe, Veilhan, Lyon et Saint-Etienne 1989, L'Embarcadère, Galerie « Ils arrivent », FRAC Rhône-Alpes

Xavier Veilhan/Un peu de biologie, avec un entretien entre Nicolas Bourriaud et l'artiste (en italien et en anglais), Milan [1990], Galerie Fac-Simile

Un centimètre égal un mètre, avec des textes d'Éric Troncy et Liam Gillick (en français et en anglais), Nevers 1991, Centre d'Art Contemporain APAC

Xavier Veilhan/1992, Paris 1992, Galerie Jennifer Flay

Xavier Veilhan, Paris 1993, ARC, Musée d'Art Moderne de la Ville de Paris

Xavier Veilhan, avec un entretien entre Bertrand Lavier, Hervé Legros et l'artiste, Pau 1995, Le Parvis

Xavier Veilhan, catalogue vidéo, Pau 1995, Le Parvis

CATALOGUES D'EXPOSITIONS COLLECTIVES

French Kiss, avec des textes d'Éric Troncy, Nicolas Bourriaud et Ijsbrand van Veelen, Genève 1990, Halle Sud

Le territoire de l'art, avec un texte de l'artiste (en français et en russe), Paris et Leningrad 1990, Institut des Hautes Études en Arts Plastiques et Musée Russe

Hotel Fantasia, avec des textes de Enno De Kroon, Joke Wolfswinkel, Cilly Jansen et Patricia van Ulzen, Rotterdam 1990, Dionysus Projects Foundation

No Man's Time, avec des contributions de Christan Bernard, Nicolas Bourriaud, Jean-Yves Jouannais, Éric Troncy..., Nice 1991, Villa Arson

I love you, catalogue vidéo, Angoulême 1993, Hôtel Saint-Simon (FRAC Poitou-Charentes)

Neuvièmes Ateliers Internationaux des Pays de la Loire/1992, avec un texte sur l'artiste de Charles-Arthur Boyer, Garenne Lemot 1993, FRAC des Pays de la Loire

Thingmakers, avec une préface de Theo Tegelaers et un essai de Dennis Anderson (en néerlandais et anglais), Nijmegen 1993, Foundation Beam

Als het ware niet meer dan ontmoetingen.../Comme rien d'autre que des rencontres.../Nothing but encounters as it were..., avec un avant-propos de Florent Bex et des textes de Isabelle Vierget et Edith Doove (en néerlandais, français et anglais), Anvers 1993, MUHKA

Rien à Signaler, avec des textes de Gianni Romano, Barbara S. Polla... (en français et anglais), Genève 1994, Galerie Analix

Caravansérail, catalogue vidéo, Amsterdam 1995, W139

Europa'94/Junge europäische Kunst in München, Munich 1994, Münchner Order Center, Künstler Werkstatt, Galerie im Rathaus, Raum der Inspektion Medizinische Hermeneutik

L'objet, avec des textes de Thierry Chivrac, Jean-Pierre Keller..., La Roche-sur-Foron (Annemasse) 1995, La Villa du Parc

Surface de Réparations, avec un entretien entre Éric Troncy et l'artiste, Dijon 1995, FRAC de Bourgogne

Cosmos/des fragments futurs, avec des textes de Frank Perrin, Richard Shusterman, Lise Guéhenneux et Isabelle Rieusset-Lemarié (en français et anglais), Grenoble 1995, Le Magasin, Centre national d'art contemporain

Collection, fin XXe/1983-1995/Douze ans d'acquisition d'art contemporain en Poitou-Charentes, avec un texte sur l'artiste d'É[ric] T[roncy] (en français et anglais), Poitiers et Château Harcourt (Chauvigny) 1995, Musée Sainte-Croix, Le Confort Moderne, Hôtel de Région et Les Bains Douches (FRAC Poitou-Charente), pp. 256-257

Beyond the Borders, avec des textes de Song Eon-jong, Lim Young-bang, Lee Yongwoo, Oh Kwang-su, Kathy Halbreich, Sung Wan-kyung, Jean de Loisy, Anda Rottenberg, Clive Adams et You Hong-june, Séoul 1995, Biennale de Kwang-Ju, Corée, tome 1

Morceaux Choisis du Fonds national d'art contemporain, avec un texte sur l'artiste d'A[naïd] D[emir], Grenoble 1995, Le Magasin, Centre national d'art contemporain, pp. 205-206

Brochure éditée par les galeries Air de Paris, Archives, Chantal Crousel, Jennifer Flay et Émmanuel Perrotin, avec un texte de l'artiste (en français et en anglais), Paris 1995

Traffic, avec un texte de Nicolas Bourriaud, Bordeaux 1996, CAPC, Musée d'art contemporain